LUFFE
XP 4865

ᐅᑭᐅᖅᑕᖅᑐᒥ ᐊᐅᓚᐅᑎᓖᑦ
UKIUQTAQTUMI AULAUTILIIT
MACHINES IN THE NORTH

ᐅᓇ ᐅᒥᐊᖅ.

Una umiaq.

This is a boat.

ᐅᓇ ᓄᓇᒃᑰᕈᑎ.

Una nunakkuuruti.

This is a truck.

ᐅᓇ ᑲᐃᕘᑎ.

Una kaivuuti.

This is a drill.

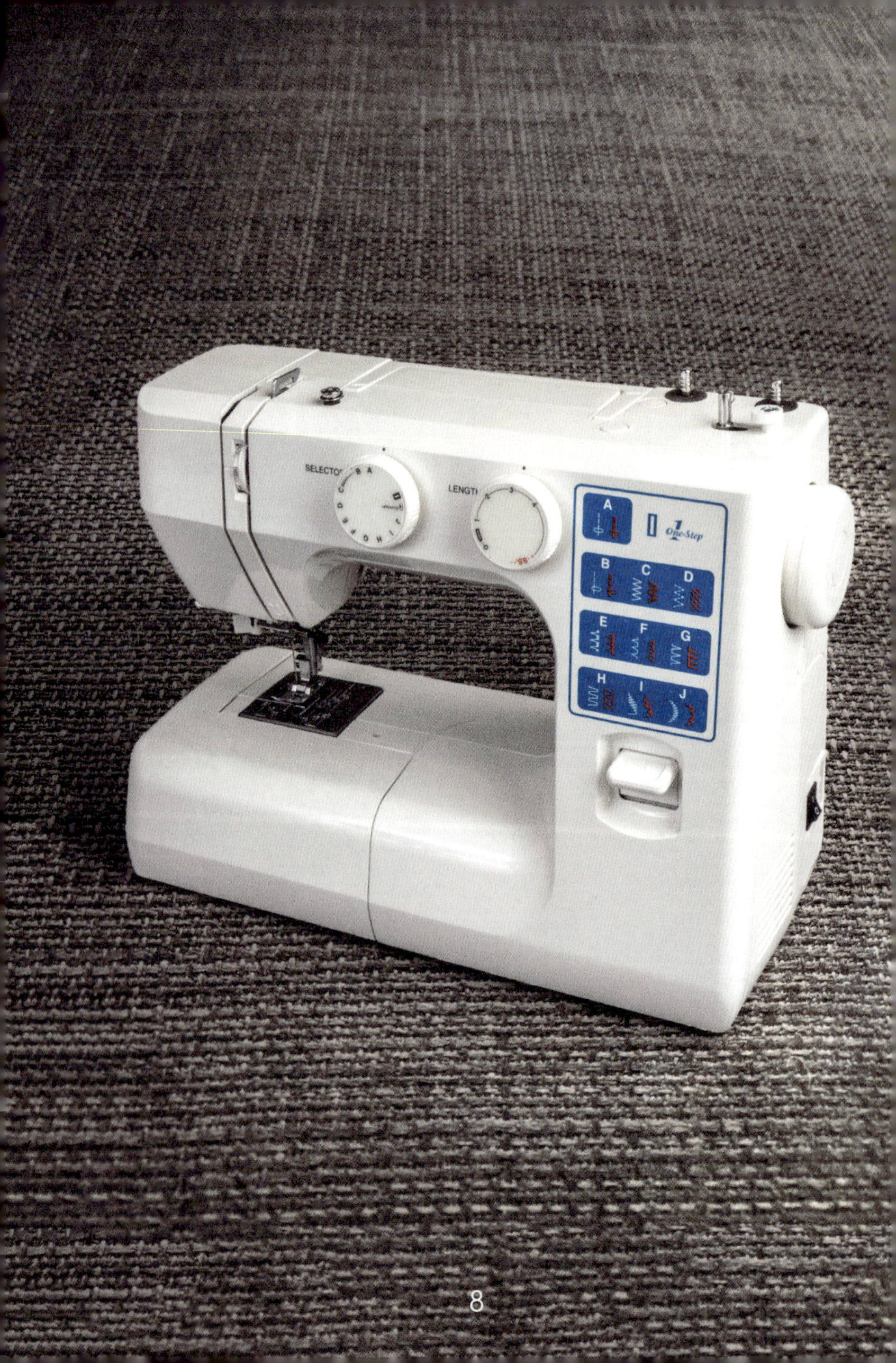
A
One-Step
B C D
E F G
H I J

ᐅᓇ ᒥᖅᓲᑎ.

Una miqsuuti.

This is a sewing machine.

ᐅᓇ ᖃᒧᑕᐅᔭᖅ.

Una qamutaujaq.

This is a snowmobile.

ᐅᓇ ᑎᓴᒪᓕᒃ.

Una tisamalik.

This is an ATV.

ᐅᓇ ᖃᖓᑕᓲᖅ.

Una qangatasuuq.

This is an airplane.

Nunavummi